CHWYN

BLODEUGERDD BARDDAS
O GERDDI DONIOL,
DEIFIOL A DI-CHWAETH

Golygwyd gan Gruffudd Owen

Perfformiwyd nifer o gerddi'r gyfrol hon mewn
nosweithiau barddol amrywiol, ar raglen *Y Talwrn* ac fel rhan
o brosiect Bardd y Mis BBC Radio Cymru.
Cyhoeddwyd rhai ohonynt am y tro cynta yn
Crap ar Farddoni (Gwasg Carreg Gwalch),
Pentre Du, Pentre Gwyn (Gwasg Carreg Gwalch),
Ni bia'r awyr (Cyhoeddiadau Barddas),
Llyfr Glas Eurig (Cyhoeddiadau Barddas),
Rhwng Pladur a Blaguryn (Cyhoeddiadau Barddas),
ynghyd â'r cylchgronau *Barddas*, *Golwg* ac *Y Stamp*.

ⓑ Gruffudd Owen / Cyhoeddiadau Barddas
Hawlfraint y cerddi: ⓑ y beirdd ©
Hawlfraint y darluniau: ⓑ Bethan Mai ©

Argraffiad cyntaf: 2019
ISBN 978-1-911584-26-1

Cyhoeddwyd gan Gyhoeddiadau Barddas.
www.barddas.cymru

Cyhoeddir gyda chymorth ariannol Cyngor Llyfrau Cymru.

Argraffwyd gan Wasg Gomer, Llandysul.
Darluniwyd llun y clawr gan Bethan Mai.
Dyluniwyd gan Dylunio GraffEG.

CYNNWYS

RHAGAIR

Mae hiwmor yn chwarae rhan ganolog iawn yn ein barddoniaeth fyw, mewn stompiau, talyrnau a nosweithiau barddol. Fodd bynnag, anaml mae cerddi doniol yn cael yr un parch a bri o'u cymharu â cherddi dwys.* Mae tuedd i gerddi doniol gael eu gweld fel y chwyn ymhlith y blodau go iawn.

I gamddyfynnu'r Beibl, 'Mae hi'n haws i englyn ciami gael 10 ar *Y Talwrn* nag i limrig cwbl hilariws gael 9.'

Ond o'm profiad i, mae cyfansoddi cerdd ddoniol dipyn yn anos na sgwennu cerdd 'o ddifri'. Adroddwch gerdd ddwys, sâl, ac mae pawb yn clapio'n gwrtais ar y diwedd. Adroddwch gerdd sydd i fod yn ddoniol, ond sydd ddim, ac mi rydach chi'n gwybod yn iawn eich bod chi wedi methu. Mae cerdd ddoniol dda yn rhywbeth sy'n haeddu cael ei ddathlu a dyma fwriad y gyfrol hon.

Mae 'na fwy i ysgrifennu cerdd ddoniol na phenillion tro trwstan am drip Merched y Wawr (er bod lle i hynny hefyd, wrth reswm). Gall cerdd ddoniol fod yn ddeifiol, yn ddychanol, yn ddi-chwaeth neu yn gwbl swreal.

Yn y flodeugerdd hon dwi wedi gwneud fy ngorau i gynnwys amrywiaeth o gerddi gan ystod eang o feirdd cyfoes. Efallai na fydd pawb yn mwynhau popeth, ond dwi'n gobeithio y bydd 'na rywbeth at ddant (y llew**) pawb.

Diolch i'r holl feirdd am eu cyfraniadau ac i Bethan Mai am y darluniadau gwych sy'n cyd-fynd gyda rhai o'r cerddi.

Gruffudd Owen
Hydref 2019

*boring
**sori

CYWYDD GOFYN GARDDWR

Dwi'n fardd, ond ddim yn arddwr.
Mwy na hyn, dwi ddim yn ŵr
sy isio medal am balu,
ac â rhaw dwi ddim yn gry'.

Dwi'n fardd sydd â gardd go hir,
ond gŵr, yn deg o eirwir,
mewn welis trwm na welwch
ar ddau ben-glin yn trin trwch
o lwyn, neu'n trio plannu
hadau'n llon â'i ddwylo'n ddu.

Dwi'm yn rhoi dam am hanes
rhyw hen wrych neu rych neu res,
neu'n foi sy'n eofn ei fost
wedi'i gamp gyda'i gompost
neu'n chwilio torf i'w borfa
a'i fetys a'i ffensys ffa.
Dwi *no way* yn adyn od
yn moli pils lladd malwod,
a hogyn botanegol
efo twbs nid wyf *at all*.

Ond drwy ddod i'r ardd wedyn,
fiw ichi weld twf y chwyn
a'r Rhys Iorwerth prysurach
heb amser i'r border bach.

Troi'n ddrain mae'r llain, ar fy llw:
y deiliach sy'n wyllt ulw
a fforest gonifferaidd
yn dod o bridd sy'n drist, braidd.
Bylbiau Duw'n troi'n bla bob dydd,
gwe organig ar gynnydd,
ac yn yr ardd, gardd oedd gynt
yn ddeiliog o ddihelynt,
yn ei rhaib a'i blagur ha',
mae sin fel Amazonia.

Lle bu carped o Eden
a gwyrddni gardd yn ei gwên,
yn y man, bydd Ynys Môn
i gyd yn ei chysgodion.

Ac felly, gan hynny, wŷr
a gwragedd a goreugwyr,
dwi'n fardd sy'n gofyn garddwr,
nid un dof i daenu dŵr,
ond gŵr i ledu'i gariad
ar wair a lawnt gorau'r wlad.

Ond ble mae hwn, ni wn-i –
mudan iawn fy Medwyn i.
Mae'r ardd yn ddarlun unig,
finnau'n ddiau mewn hwyl ddig
am droi, wir, mewn dim o dro
i 'mhoced, a'i tharmacio.

Rhys Iorwerth

STORI WIR

'Fydda i ddim yn hir!' galwodd fy mam
cyn mynd a chloi drws yr hen garafán
a'm gadael fy hun, yn bedair blwydd oed,
a hynny am y tro cynta 'rioed.

Dim ond picio roedd hi i weld hen ffrind;
ond doedd 'na'm ots gin i i lle oedd hi'n mynd.
Be tasa Mam, ddudwn ni, yn mynd ar goll?
Neu bod ganddi ddim arian i dalu'r doll

i ddŵad yn ôl i mewn i'r Maes?
Neu be tasa hi'n baglu ar wenwisg laes?
Roedd fy ofnau i'n llenwi'r garafán fach;
be tasa hi 'di cael ei hanafu gan wrach?

Neu gael ei harestio yn y fan
am adael ei phlentyn mewn carafán
am hanner awr cyfa ar ei phen ei hun?
Neu be tasa hi'n cael ei chusanu gan ddyn?!

Wrth i'r pryderon, fel pydredd, fy llenwi,
llanwai man arall na fedrwn mo'i enwi.
Yr unig beth a deimlwn i
oedd yr ysfa angerddol am un peth: pi-pi.

Arhosais, arhosais, rheolais fy angen.
'Tai'r drws ddim ar glo 'swn i'n gwneud yn yr adlen!
Roedd 'na awr ers iddi adael; fedrwn i'm credu!
Erbyn hyn doedd ond un peth amdani: gweithredu.

Roedd y sinc rhy uchel a'r gwpan rhy fach;
mi roedd yna sosban ... ond 'sa hynny ddim yn iach.
Roedd 'na dyllau anadlu yn y bag S4C;
cynyddai fy mhanig a'm penbleth i.

Allai'r *Cyfansoddiadau* fod o fudd?
Mi fedrwn greu powlen o raglen y dydd!
Neu be am ddefnyddio fy ambarél?
Ond 'sa hynny'n anlwcus, ac mi roedd hi'n un ddel ...

Ro'n i ar fin ffrwydro unrhyw eiliad,
pan agorais ddrws y cwpwrdd dillad,
ac yno rhwng welingtons Dad a'r pram
roedd un o stiletos sanctaidd fy mam.

Y greal llyfngroen, y llestr gwych,
a'r peth hawsa fyw i sychu'n sych
achos pvc oedd y cwbwl lot;
tynnais mewn eiliad fy nicars smot.

Cyrcydais yn gyfrwys, anelais yn syth;
mi gofiwn y weithred arwrol am byth!
Wrth imi ymlacio, diflannodd fy ngofid,
gwagiodd fy nhu mewn a llanwodd yr esgid

hyd at yr ymylon yn daclus iawn;
roedd fy mhledren yn wag a'r stileto yn llawn.
Ond dyna sŵn goriad yn troi yn y drws;
fy mam yn ei hôl: 'O, fy maban tlws!

Mae'n ddrwg gen i d'adael mor hir dy hun;
fues i'n sgwrsio am hydoedd efo Anti Kathleen –
ond, Gwyneth, be gebyst sgin ti'n fan'na?
Ti 'rioed 'di pi-pi yn fy esgid ora?'

'Do, Mam, a sbïwch: does 'na'm dropyn ar lawr!
Nid babi dwi bellach, ond hogan fawr!'
Ac mae'r rhinwedd bach yna gen i byth:
dim synnwyr cyffredin, ond gallu pi-pi yn syth!

Gwyneth Glyn

TYNNU ... RHYWBETH

Tynnais ei blows i ddechrau,
ac yna'i phais a'i sgert.
Tynnais ei bra yn araf
a'i *G-string* sidan pert.
Syllodd i fyw fy llygaid,
a'i llygaid hithau'n pefrio.
'Paid hyd yn oed â meddwl
am wisgo'n stwff i eto!'

Arwel Pod Roberts

BANCAR

Mae dyn yn byw yn Llundain sy'n bancio drwy y dydd,
os ewch chi draw i'w swyddfa, yno yn bancio y bydd.

Mae'n fancar waeth ble'r aiff o, a bancio yw ei waith,
bydd hwn, cyn naw y bore, wedi bancio lawer gwaith.

Mae'n cael siampên i ginio am ennill mil neu ddau,
ac arian mawr o bwrs y wlad er mwyn i'w fanc barhau.

Ar fore Llun mae'r crys a'r tei pin-streip ill dau'n eu lle,
ond dan y ddesg fawr bren bydd hwn yn bancio fel dwn i'm be.

Weithiau fe'i clywch yn gweiddi, 'I banked a load today!'
Weithiau wrth gyrraedd adre mae'n bancio ar y slei.

Mae'n bancio 'mhob iaith sy 'na, heblaw am y Gymraeg,
ac fel pob 'gŵr bonheddig' mae'n bancio dros ei wraig.

A phan fo bancio'n bwysig mae'n bancio'n wyllt a chloi;
does dim byd fel bach o risg i wella banc i'r boi.

Bydd hwn, boed hedd neu ryfel, yn bancio, waeth be ddaw,
yn dal ein tai a'n harian prin yn dynn, dynn, yn ei law.

Mae Cymru ar ei hennill, mae'r byd 'ma yn lle gwell,
oherwydd bod 'na fancar yn ninas Llundain bell.

Hywel Griffiths

MAGU PLANT

Rŵan! canant.
Plis! meddai'r plant.
Eto? Bwytwch!
Bois wyneb bwch.

Sgwennu ar walia, taflu brechdana,
dagra, brathiada, torri tegana,
fel tasa 'na wobr am sbwylio'r hwylia.

Cwcio, cicio,
Tae Kwon Do!
Miwsic, plicio,
Ninja-go!
Dianc, strancio,
dim fi 'nath, fo!
Stwff a chwffio
aflan dan do.

Sâl isio iPhone, sâl isio ci,
sâl dros y *car seat* ac isio pi-pi.

Swnian am hyn a swnian am llall,
swnian am oriau, jyst swnian di-ball.

Ymhell o'r mwd a'r mès
hir a braf fyddai'r dyddiau heb gnafon.
Pwy a ŵyr, 'swn i ddim yr un person:
coginio heb ffỳs, cwrdd â ffrindiau'n gyson,
dyddiau tawel yn dilyn gorwelion.
Ond er mai her go wirion yw magu,
dof o hyd i'r golud yn y galon.

Manon Awst

VAGINA NOUN

Un noson ddinewyddion
ceisiais feddwl am enw
am yr hyn sydd rhwng
fy nghoesau.

Biji-bo oedd gan fy ffrindiau,
ond pen-blaen oedd gen i
nes tyfu'n hŷn a theimlo'n
annifyr.

Edrychais yn y geiriadur
am enw newydd ond
rhywsut doedd dim
yn weddus.

Roedd *gwain* yn swnio'n boenus
a *fagina*'n rhy feddygol
a meiddia unrhyw un fy ngwisgo
fel *maneg.*

Dwi'n fwy na jest bioleg.
Dwi angen mwy, dwi angen rheg.

Cont.
Dyna sydd gen i.
Hyfryd gont,
perffaith gont,
nefolaidd gont.

Y gont filain.
Y gont ddigywilydd.

Cont –
gair bach a pheryg.
Wel, bach a pheryg ydw innau.

Llio Maddocks

HEN-DW YN YR EISTEDDFOD

(i'w chanu ar alaw cân y cadeirio)

Ddwedes o'r dechre nad o'n i isie ffỳs
ond ddes i 'ma heddi mewn *fifty seater bus*
llawn *willies* a thwtws a *sashes* pinc a fflyff.
'Wedes i sa i isie, ond 'wedon nhw 'Tyff!'

Hen-dw, hen-dw, be wnes i i haeddu hyn?
Bacon bap i frecwast a photel fawr o jin.

Do'n i ddim moyn hen-dw, fe ddwedes hynny'n glir.
Dwi'n lico gwely cynnar a gweud y gwir.
'Ewn ni am gyrri,' awgrymais, llai o straen,
'Korma a Chobra a rhannu reis plaen.'

Hen-dw, hen-dw, o callia, ti'm yn gant!
Cei aros adra ddigon pan gei di ŵr a phlant!

Stopio am bisiad a pheint o Felinfôl,
wedyn ymlwybro draw i'r dre am crôl.
Roedd Undeg yn igian wrth gropian fewn i'r Maes
a Siwan yn slyrio, 'Twll tin pob Sais.'

Hen-dw, hen-dw, mae Siân 'di cael tatŵ.
Mae'n dangos e am ddwybunt tu ôl i'r portalŵ!

Aeth Emma i'r Ymryson er mwyn cael gwefr ac ias
ond pan hwdodd mewn i'r piano, a'th pethe bach yn gas.
'Bydd eisie eithaf sgrwbad,' medd rhywun gyda gwên,
'os fyddan nhw ym Meifod moyn cael Pabell Lên!'

Hen-dw, hen-dw, gwaharddwyd partis plu
pan hwdodd am yr eildro ar gamera'r BBC.

Do'dd dim sôn am *stripper*, roedd hynny yn rhyddhad,
ond rhoddodd Rhian *lapdance* i fois y Corn Gwlad.
Cynigiodd fwy na hynny pan welodd gledd McBryde,
gweiniodd y cledd a rhedeg nerth ei draed.

Hen-dw, hen-dw, ni chaf i fyth wisg wen,
mae'r Archdderwydd wedi 'ngweld i 'da condom ar fy mhen.

'Mae enwau gorseddol yn well nag enwau porn!'
bloeddiodd Rhiannon drwy'r Hirlas Gorn.
Trydarwyd ei sylw yn syth gan ambell un
a bydd hi'n ymhelaethu ar *Heno* nos Lun.

Hen-dw, hen-dw, dywedodd wrth Fam y Fro,
'Atolwg i ti yfed o'm wili strô.'

Fe flociodd Siwan doilet, fe ddwgodd Sioned gôn,
tra bod Lowri Mai yn snogio poster o Bryn Fôn.
Fe gollodd bob un eiliad o *hits* y dyn ei hun
ond gwelodd Bryn bach gormod ar dits ambell un.

Hen-dw, hen-dw, 'Mae Sobin eto'n fyw'
ond mae Lowri Mai'n y Gorlan dan ofal Duw.

Roedd Haf dal i yfed ei phwnsh o sosban fawr
ond gweddill y twtws yn fflat owt ar lawr.
Y stiwardiaid yn twt-twtian a 'ngwyneb inne'n boeth
wrth i Haf ddechre matryd i 'Ddawnsio'n hollol noeth'.

Hen-dw, hen-dw, maddeua i fi, Bryn.
Wn i ddim be wnes i i haeddu hyn.

Gwennan Evans

DACW MAM YN DŴAD

Dacw Mam yn dŵad i mewn i'r sbyty fawr
yn ffyddiog bydd 'na fabi mewn cwta hanner awr.
Toc bydd o yma! Awn adref yn y pnawn!
Pam bod pawb yn cwyno? Mae hyn yn hollol iawn.

Jim Cro Crystyn,
wan, tw, ffôr,
mae pethau'n dechra teimlo ychydig bach yn sôr.

Dacw Mam yn dŵad ar ei phedwar ar y llawr,
nawr yn cael *contractions* ers tri deg pedwar awr.
'DWISIO'R *EPIDURAL* – MAE'R BOEN 'DI NEWID GÊR!'
a Dad sydd jest â chrio, yn hogio'r *gas & air*.

HWYL YR HWIANGERDDI

Jim Cro Crystyn,
wan, tw, ffôr,
yn sydyn daw doctoriaid a nyrsys mewn fel côr.

Dacw Mam yn dŵad i'r theatr ar frys,
bellach yn un smonach o ddagrau, snot a chwys.
Wedi yr holl wthio daw'r babi trwy'r to haul.
'Ffoc,' meddai Mam, ''dan ni'n mabwysiadu'r ail.'

Jim Cro Crystyn,
wan, tw, ffôr,
mae'r rhan anodda drosodd – diolchodd pawb i'r Iôr ...

MYND DROT DROT

Mynd drot drot i'r clinic bŵbs,
mynd drot drot i'r dre,
babi blin iawn heb yfed trwy'r pnawn
a Mam yn gollwng dros y lle.

Godro yn ffraeth am fodfedd o laeth
tra'n ysu am G&T ...
tethi ar dân, pawb 'di blino'n lân
a fisityrs lond y tŷ!

DACW DADI'N MYND i'W WAITH

Dacw Dadi'n mynd i'w waith –
gadael wyth, ddim 'nôl tan saith!
Ar ôl cyrraedd adra eto
mae Dadi'n cwyno fod o wedi blino.

Dacw Dadi'n mynd am jog,
mae 'marfer corff yn gymaint o slog!
Mynd dow dow gyda'r nosau
ac yna'n cwyno am ei boenau.

Dacw Dadi'n mynd am beintyn bach,
dim ond un – trio cadw yn iach!
Dyma Dadi am ddau y bora
heb ei oriad yn sglaffio *pizza*.

Dacw Mami'n dechrau cael llond bol
ar Dadi bach a'i blincin lol,
'Hwyl 'ti, Dadi, cym dy fabi,
dwi'n mynd am sesiwn, wela i chi fory!'

AR ÔL GORFFEN BWYDO

(BONHEDDWR MAWR O'R BALA)

Ar ôl gorffen bwydo
Mam a aeth i lysho
i'r dafarn ar ei phen,
i'r dafarn ar ei phen.
Ha-ha-ha-ha-ha,
Ha-ha-ha-ha-ha,
i'r dafarn ar ei phen.

Archebodd 'nôl ei harfer
beint o êl – nid hanner –
a theimlo rhyddid pur,
a theimlo rhyddid pur.
Ha-ha-ha-ha-ha,
Ha-ha-ha-ha-ha,
a theimlo rhyddid pur.

Teirawr wedi hynny
mae Mam yn taflu 'fyny:
ei phen i lawr y pan,
ei phen i lawr y pan.
Ha-ha-ha-ha-ha,
Ha-ha-ha-ha-ha,
ei phen i lawr y pan.

Am bump o gloch y bora
y babi wnaeth ei ora
i sgrechian dros y tŷ,
i sgrechian dros y tŷ.
Ha-ha-ha-ha-ha,
Ha-ha-ha-ha-ha,
i sgrechian dros y tŷ.

A Mam sydd nawr yn gwybod
bod angen nos *a diwrnod*
heb bab i fynd am sesh,
heb bab i fynd am sesh!
Ha-ha-ha-ha-ha,
Ha-ha-ha-ha-ha,
heb bab i fynd am sesh.

31

HWYL YR
HWIANGERDDI

FUOCH CHI
'RIOED YN
PLANTA?

Fuoch chi 'rioed yn planta?
Wel do, mi fentron ninna
ar antur fwya'r byd erioed
heb fap na 'run ffordd adra.

Fuoch chi 'rioed yn planta?
Wel do, mi fentron ninna,
a'r 'fengyl nawr ar lech fy mron –
does *dim* mor wych â mama'!

Casia Wiliam

ENWi'R BABi

Fe brynwyd mil o lyfrau,
caed sawl cynhadledd flin
wrth geisio dewis enw
ein baban cyntaf un.

Trafodwyd enwau trendi
Cymraeg am oriau hir.
Cynigiwyd 'Jordan Esyllt',
'Bex Haf' a 'Brooklyn Fflur'.

Rhag creu rhyw *gender issues*
i'r plentyn bychan, syn,
gwaharddwyd enwau deuryw,
di-fudd, fel 'Ceri Wyn'.

Ond gan taw babi Dolig
ein babi cynta ni,
roedd angen enw Beiblaidd,
ystyrlon, dybiais i.

A do, dewiswyd enwau,
rhai Nadoligaidd, twt,
sef Mair, os oedd yn groten –
a Herod, os yn grwt.

Ceri Wyn Jones

THE ROBOTS ARE COMING FOR YOUR JOB

Da iawn, ti 'di llwyddo i ddod,
wir i ti, ti'n haeddu clod.
Rŵan, wyt ti'n meindio symud
fel 'mod i'n gallu dod hefyd?

Hei, ma'n iawn, ddim dy fai di 'dio,
paid â chwyno, paid â chrio.
'Mond un *setting* sydd gen ti,
mae'r *vibrator* efo tri.

Llio Maddocks

PE BAWN I RYW DDYDD
YN ARCHDDERWYDD

Pe bawn i ryw ddydd yn Archdderwydd
mi gawn, dan fy nghoban, adenydd,
   ac wedi'r traddodi
   mi faswn i'n codi
a hedfan i nôl yr enillydd.

Myrddin ap Dafydd

EFO DEIO I DYWYN

Mi dderbyniais bwt o lythyr
(*Ffa-la-la-la-la-la-la-la-la-la-la*)
oddi wrth Mr Jones o'r Brithdir,
(*Ffa-la-la-la-la-la-la-la-la-la-la*)
ac yn hwnnw roedd o'n gofyn
(*Ffa-la-la-la-la-la-la-la-laaaaaa*)
awn i efo Deio i Dywyn.
(*Ffa-la-la-la-la-la-la-la-la-la-la.*)

Mi atebais gyda'r troad:
(*Ffa-la-la-la-la-la-la-la* &c. hyd syrffed)
'Na wnaf! Dos dy hun, y bastad!
Os oes twll yn nhin Meirionnydd,
Tywyn yw, heb air o gelwydd!

Be am fynd i rywle neisiach?
Bala? Rhyl? Pwllheli? Harlach?
Connah's Quay neu Lanffestiniog?
Neu dos dy hun, y bastyn diog!'

Fe atebodd yntau'n bwyllog,
'Dydw i ddim yn fastyn diog:
mae fy ngwraig i ar fin marw
ac mae'r fuwch yn gofyn tarw.

Dyna pam dwi'n gofyn iti
godi pac a rhodio'n wisgi
fel gafr fynydd: dos, fachgennyn,
efo Deio draw i Dywyn.'

Mi ochneidiais, yna gwglo
am *directions* i fynd yno,
ac mi waeddais, 'Deunaw milltir?!
Twll dy din di, Jones o'r Brithdir!'

Fe gychwynnwyd ar nos Wener
heb gael dim ond Twix i swper,
ond yn syth 'rôl gadael Brithdir
fe aeth Deio'r ffordd anghywir.

Fe ŵyr pawb a fu yn Nhywyn
mai mistêc go fawr i rywun
ydi troi i gyfeiriad Dinas
a mynd heibio blydi Gwanas.

Mae'r olygfa welwyd yno
ar fy enaid wedi'i serio:
ar yr iard roedd Bethan Gwanas
yn ymyrryd efo pannas.

Troesom ar ein sodlau'n sydyn
ac anelu'n syth am Dywyn.
Yr oedd Deio'n welw fudan
ar ôl gweled pannas Bethan.

Ar ôl peint yn y Cross Foxes
aethom i gyfeiriad Corris;
trwy Dal-y-llyn yr aem yn llinyn,
dal dim sein o blydi Tywyn.

Wrth fynd heibio Aberg'nolwyn
sylweddolais i fod 'Tywyn',
ydi wir, yn odli'n daclus
er mwyn creu rhyw gân syrffedus.

Er mwyn casglu odlau eraill
dwedais innau, 'Deio, gyfaill,
beth am fynd rownd *Craig y Deryn*
a mynd heibio *Ynysmaengwyn*?'

'Nid yw Google,' ebe Deio,
'yn ein tywys y ffordd honno.'
Na, nid oes gan Deio, cr'adur,
anian bardd fel Gruffudd Antur.

Ddeugain awr 'rôl inni gychwyn
gwaeddodd Deio, 'Dacw Dywyn!'
Roedd y dref yn gwneud i Corris
edrych fatha blydi Fenis.

Roedd ein holl ragfarnau'n gywir:
lwcus iawn oedd Jones o'r Brithdir
fod ei wraig o ar fin marw
a'r hen fuwch yn gofyn tarw.

Wrth fynd adre'r bore wedyn
yr oedd Deio'n llunio cynllun
ar y siwrne ddeunaw milltir
sut i sbaddu Jones o'r Brithdir.

Ond i minnau (Gruffudd Antur)
yr oedd mymryn bach o gysur:
lluniais gân 'rôl cyrraedd adre
am yr helynt ar ein siwrne.

Ac fe fydd fy enw'n para
tra bo iaith gan bobol Gwalia:
llawer hwy na'r deunaw milltir,
llawer hwy na Jones o'r Brithdir.

Bydd y gerdd, a'i llond o angerdd,
yn ymddangos mewn blodeugerdd
fawr ei bri: ni fydd fy enw,
na, byth bythoedd byth yn marw.

A chan hynny, Gymro hawddgar,
yr wyf innau'n fythol ddiolchgar
am i Jones o'r Brithdir ofyn
awn i efo Deio i Dywyn.

Gruffudd Antur

LLEFARU
DAN 8

Dwi'n mefwl ei fod yn syniad da
lhoid lhywun dan wyff al y chwyfan
i sialad am bob maff o beffau,
o chew gwycht, i stoli tlo tlwstan.

Neu sôn yn hapus am loli fawl
sy'n lowlio'n gyflym lawl y lôn,
neu chgodan chwyd sy'n gelfolol iawn
yn chwala tlwmped a thlombôn.

Dlo alach, chefalu am Taid
sy'n chwylnu'n swnchyd dlos y che.
A Nain yn gwneud bala bliff bob dyf,
cacan gli a thleiffyl i de.

Ohelwyf ma pawb yn dweud 'O! Ciwt'
wlff fy nghlywed i'n chefalu,
a finna'n enich bob un tlo
am doli calonna wlff gystadlu.

Ond al ôl mynd adla gyda'l nos,
by**dd**af yn **rh**oi'**r** gora i'**r** camsiarad,
a dweud fy **r**, fy **ll**, fy **th** yn iawn.
Ond peidiwch â dweud wlff y beilniad.

Anni Llŷn

GWIR YSTYR Y NADOLIG

Rhoddodd Duw ei fab yn aberth gwaed
i dalu'r bil i gadw'r etholedig rai
rhag mynd i uffern am eu pechodau:
dyna oedd ystyr y Dolig erstalwm,
yn sicrwydd rhonc canrifoedd cred.

Y fath rad ras! Y fath rodd: y Mab
tragwyddol mewn cadachau budur,
yn crio mewn crud yn unswydd er mwyn marw
ar groes Golgotha. Dyna'r waredigaeth
a gyfiawnhâi'r sieri a'r *stollen* a'r sbrowts,
yr aberth a roddai'r angerdd i'r carolau.

Ond gadewch inni gydnabod yr amlwg.
Nid yw Duw'n bodoli. Nid oes uffern.
Felly ni all Duw ein hachub rhag uffern.
Nid gwyrth na gras a genhedlodd Iesu,
ond clec ddiofal
(a gair o gelwydd wrth gariad hygoelus).

Ond os chwedl dwyllodrus yw Stori'r Geni,
ai gwagedd yw'r anrhegion? Ai dienaid yw'r dathlu,
fel capel a droed yn Wetherspoon's? Ai nonsens
a genir mor odidog ym mhlygeiniau Maldwyn?

Nage. A hithau'n aeaf y casáu a'r celwydd,
chwiliwn – â help y bylbiau taci amryliw – am wir ystyr
y Nadolig a fodolai cyn i'r Cristnogion ei ddwyn:
gŵyl o gwmni, goleuni a gwledda i drechu'r gwyll.

Chwiliwn am y Meseia
ym mhetheuach ein byd: dilynwn y lorri Coke
fel petai'n seren, a rhyfeddod plant
lond ein llygaid; closiwn at yr angylion
ymhlith y naill a'r llall; byddwn, drwy roddion,
yn fugeiliaid i'n gilydd. Agorwn ein lletty.
Plygwn ger crud pob gwyrth o faban.
Gwnawn ddamhegion o hanesion ein hoes.

Chwiliwn, greaduriaid di-greawdwr, am achubiaeth –
nid rhag uffern, ond rhagom ein hunain.

Guto Dafydd

ANN GRIFFITHS YN Y STEDDFOD

('chydig iawn a wyddom am Ann Griffiths ond maen nhw'n deud ei bod hi'n wyllt pan oedd hi'n iau)

Honna yn ei dillad Morgan lliain gwyn,
a'r jîns o Marks, *size* 16 braidd yn dynn –
maen nhw'n deud ei bod hi'n wyllt pan oedd hi'n iau.

A hi sy'n sôn wrth ffrind am blant y plant
a'u llwyddiant, fel eu nain, mewn côr cerdd dant –
maen nhw'n deud ei bod hi'n wyllt pan oedd hi'n iau.

A'r wraig sy'n yfed te mewn adlen hardd,
a brolio nabod cefnder gŵr y bardd –
maen nhw'n deud ei bod hi'n wyllt pan oedd hi'n iau.

A hithau efo'i phecyn ffoil brechdanau ham,
a'i gwên a'i chefn yn dechrau mynd yn gam –
maen nhw'n deud ei bod hi'n wyllt pan oedd hi'n iau.

A musus yn ei chadair olwyn ''mond dros dro'
a'i merch yn sibrwd rhywbeth am ei cho' –
maen nhw'n deud ei bod hi'n wyllt pan oedd hi'n iau.

Gobeithio'i fod o'n wir am rhain i gyd,
a'u bod nhw'n cofio rhyw a madarch hud.
Ond stori ydi stori, a'r gwir sy'n frau,
a falla'i bod hi'n boring iawn yn iau.

Sian Northey

Y 'BEBI RÊF'

(i'w chanu ar dôn 'Calon Lân')

Dros yr haf fe gefais neges
gan hen ffrind ac meddai ef:
'Be ti'n neud am ddau bnawn Gwener?
Tishio dod i "bebi rêf"?'

'Bebi rêf, sut beth 'di hwnnw?'
medda finna yn ddi-niw
(gan ddychmygu mil o todlars
yn popio *pills* tra'n gwatsiad *Cyw*).

Meddai 'nghyfaill, ''Nôl pob tebyg,
bebi rêf 'di'r "place to be"
i rieni ifanc, ffynci,
eangfrydig fatha ni.'

'Bebi rêf, am syniad campus!'
medda finna, mwya ffŵl,
yn gweld fy nghyfle mawr o'r diwedd
i fod yn un o'r Dadis Cŵl.

'Fûm i 'rioed yn fawr o rêfiwr
(dwi'n reit hyll wrth chwysu'n stecs).
Ro'n i rhy gall i wneud cyffuriau
a lot rhy ddof wrth chwilio secs.

Bebi rêf! Hwn oedd yr ateb
i Gruff Sol gael torri'n rhydd,
daeth hi'n amser dysgu rêfio
efo babis crach Caerdydd.

Daeth pnawn Gwener ac fe wisgais
fy nillad hipster gorau, gwych;
tra bo wyneb fy mab yn holi:
'Be ti'n wisgo'r ffocing brych?'

'Bebi rêf, fy mabi gwyn i,
rhaid cael dillad at y job.
Er fy mwyn, jyst am ryw ddwyawr
nei di beidio bod yn nob?!'

Roedd rhaid i'r mab a finna dalu
deuddeg punt i gael mynd mewn,
deg i mi, a dwy i fynta
(sydd rom bach yn blincing ewn!).

Bebi rêf, waeth beth ddywedir,
sydd yn fastad eitha drud!
(Bron i mi jyst talu tenar
a gadael fynta ar y stryd.)

Roedd y rêf yn eitha swnllyd
fel petasai eliffant
yn cael ei ddarnio'n fyw gan jên-so ...
ac mae hyn i fod i blant!

Bebi rêf sy'n ffocing bedlam!
Mae babis bach yn licio hedd!
Tasa Nain 'di'n gweld ni yno
'sa hi'n sbinio yn ei bedd!

Fel mynd â *smackhead* i gymanfa,
neu rhoi dildo mawr i'r Pab,
ceisio ieuo'r anghymharus
oedd cael rêf yng nghwmni'r mab.

Bebi rêf! Dau beth digyswllt
ydi babis bach a rêf
ac ymhen rhyw hanner munud
fy epil druan roddodd lef.

Wel, dwi'n meddwl dyna wnaeth o,
roedd hi braidd yn anodd dweud;
fedrwn im clywad dros y miwsig
ond rwbath felma oedd o'n wneud ...

(WWWWWWWWWAAAAAAAAAAAAA!!!!!!!)

Bebi rêf, doedd o'm yn hapus,
deud y gwir, roedd o'n ffwc o flin
fel ryw mini-Gwilym Owen
efo draenog yn ei din.

Cwta funud oeddwn yno,
'swn i'm 'di gallu bod dim cynt.
Wrth im adael roedd y porthor
dal i gyfri'n neuddeg punt!

Bebi rêf – fel mynd â figan
i McDonald's efo chi
neu fynd â dynas drawsryweddol
draw i steddfod YFC.

Y tu allan yno'n minglo
roedd holl iypis cŵl y dref
gyda'u plant bach *chilled* yn chwarae,
oll yn canmol bebi rêf.

'Baby Rave! Am syniad briliant.
Rili grêt! Shwt joiest ti?'
Ac fe wenais i a nodio
gan mai cachwr ydw i.

Tydi'r bychan dal heb faddau,
neith o fyth tra bydd o byw.
Os caf y cynnig i fynd eto
'na'i ddweud 'ffoc off, dwi'n gwatsiad *Cyw*'.

Bebi rêf sy'n syniad erchyll.
Fe erfyniaf ar Dduw nef
i felltithio dyddiau bywyd
y twat ddyfeisiodd bebi rêf!

Gruffudd Owen

GWIBDAITH
Y CÔR

I steddfod fawr Cwm Sgwarnog yr aeth y côr am dro
i frwydro ar y llwyfan â chorau mawr y fro.
Ni fu i'r Genedlaethol ei brwydrau gwaeth na'r rhain:
mwy chwerw nag yn Syria; mwy gwaedlyd na'r Iwcráin.
Mae rhai sy'n mynnu twyllo, er mwyn cynyddu'u sgôr,
ac ambell un anwaraidd yn canu mewn sawl côr.
Mae'r corau ienctid wedyn o'r canol oed yn llawn,
ac ambell gôr pensiynwyr yn ifanc iawn, iawn, iawn.
Does dim byd gwaeth na gwrando ar gorau posh Caerdydd:
mae seiniau mwy cerddorol yn sŵn fy nolur rhydd.
A'r darnau gosod wedyn ... does dim y gallwn wneud
â geiriau Tudur Dylan: sai'n dyall beth ddiawl mae'n ddweud.
Fe roed yr wythfed safle, gan feirniad llwgwr, sâl,
sy'n safle od o feddwl mai chwe chôr oedd i ga'l.
Fe gaed beirniadaeth bigog o fanion bach yn llawn ...
moyn nodau *a* moyn geiriau, *ac* yn y drefen iawn!
Nid ydym wedi chwerwi; fe fynnwn ymgryfhau;
er colli hyn o frwydr, mae'r rhyfel yn parhau.

Emyr Davies

CYNGOR i'R GŴR

Gwaith anodd yw ceisio darbwyllo
fy ngŵr i fynd ati i siafio,
    nid edrych fel llew
    â wyneb llawn blew
yw'r ateb i ddyn sy'n heneiddio.

Mari George

MARWNAD FY MARF

(i'w adrodd wrth eillio yn y gwanwyn, yn ddelfrydol i gyfeiliant byw Annette Bryn Parri)

Mae fy marf wedi darfod.
Trengodd. Fe beidiodd â bod.
Heb gynnwrf, bu farw'r farf.
Wedi darfod oed eurfarf.
Hithau roed dan bridd ei thranc,
flew hynafol, yn ifanc.

Sioe bert oedd, fel Desperate Dan,
mieri, piwbs Anti Marian.
Fy mhennill hir, fy maen llog,
fy nhir anial, fy nraenog,
fy llwyn yng ngardd fy wyneb,
a heb fy llwyn, nid-wy'n neb!

Fy ach, fy mlewiach, fy mling,
cyrliog fel brest Will Carling,
fy marf fawr, fy mhrif arwr,
un da fel *float* yn y dŵr,
fy ngherflun, fy angorflew,
O! fy Mhwsi Meri Mew!

Fy ngafr rydd, fy ngwefr oeddet,
un waraidd iawn ar ryw ddêt,
fy mantell, fy llyfrgell i,
pennaf sgrwbiwr ffrimpeni,
fy Ngrand Slam, fy mhwrs camel,
iâr gref iawn, fy Ray Gravell.

Fy wiwer fawr, fy ngafr fach,
neu ryw fat dal pryfetach,
fy mochdew, blwch fy mechdan,
fy ngwymab roc, fy Nghwmbrân,
fy ngruddiau gwâr, fy ngherdd gaeth,
fy nhonig, fy hunaniaeth.

Fy niweddar Reg Harries,
fy nghart i ddal chwart o chwys,
fy ngwair rhemp, fy ngorau arf,
hynt fy mhrifiant, fy mhrifarf,
fy ngwefr hyd ddiwedd Chwefror,
fy *nhumbleweed* i, fy Numbledore.

Fy mab taer, fy wymab tin,
fy hawl innau, fy Lenin,
fy mrwsh, *hoover* fy mriwsion,
fy *sex face*, fy sacsoffon,
fy nghap gên, fy ngwep gynnes,
fy *thyroid boost*, fy *third base*.

Fy heddwch, fy nghyfaddawd,
fy rhan yn y chwyldro, frawd,
fy Siôn Corn cyfeiliornus,
fy holl rawd rhwng bawd a bys,
fy nagrau a'm dyddiau da,
fy Hagrid, fy Viagra.

Fy hir ardd gomig, fy hardda' gymar,
fy mechan dawel, fy mochyn daear,
fy nhlws, fy mongws lled ddiymhongar,
fy mlew a dociwyd, fy milidowcar,
yn y gwanwyn, mae'n gonar! – Mae, farf bert,
fel ar ôl Gelert a'i flew, rêl galar.

Fy hanner mwng llew, fy siani flewog,
fy nghaseg lysti, fy ngwas o glustog,
fy nhyfiant addfwyn, fy nghynffon llwynog,
fy ffwr i'w goglais, fy heffer gaglog,
drwy'r drin dan rasel finiog – aeth ar hast.
Am wast! Am lanast! A'r llawr yn wlanog!

Ond er yr ing pan wnaeth drengi, edrych,
    pan ddaw'r hydre i oeri
   croen fy ngên, ei haileni
   ar ddiwedd haf fedraf i.

Iwan Rhys

LLYTHYR AT YR AWDUR

(gan Swyddog Llenyddiaeth Cyngor Celfyddydau Cymru)

O, annwyl fardd yr awdl faith
a naddwr ceinion rhyddiaith,
nid oes werth mewn rhoi dy sêl
ar botsio efo'r nofel;
o ba fudd, hen gywydd gau
a hidlo mil o odlau?
Ffurflenni, nid cerddi caeth,
yw gwarant dy ragoriaeth.
Gwell carreg ystadegau
– o'u ca'l erbyn dyddiad cau –
i brofi'r darpar brifardd
na swnd tamp rhyw soned 'hardd'.

Nid yw saig o doddaid sur
yn fwyd i gyfrifiadur:
boed i'r geiriog lunio gwledd
o ffeithiau – ein hoff ieithwedd.
Un hen yw dy awen di,
un afrwydd, nad yw'n cyfri
ym mantol atebolrwydd –
dibwys yw, heb nod, heb swydd.
Wyt rec ar ymylon traeth,
wyt wag, wyt ddistrategaeth.
A rown ni nawdd? Sori, na
– nid wyt yn ein bas data.

Tony Bianchi

CERDD FACH WIRION AR BNAWN SUL HEULOG

Dwi'n methu cynhesu yn fy mêr
rywsut at gerddi Baudelaire;
dwi ddim fel y rhai sy'n methu dal
pan glywant sôn am *Les Fleurs du Mal*
er 'mod i, fel rheini, o'r *bourgeoisie*.
Nid épatiwyd mohonof, welwch chi.
Dwi'n gwybod ei fod o'n dipyn o fardd,
ond anodd yw twymo at awen a chwardd
o ddifri dim ond ar glowniau grotésg.
A 'sgen i'm amynedd gwybod mor llesg
yw bywyd y cr'adur, ei *spleen* a'i *ennui*,
a'i ddychymyg am bethau ych-a-fi.

A dyna chi wedyn Verlaine a Rimbaud ...
howld on am funud – un ar y tro.

Emyr Lewis

SANT!

Ymhell bell cyn dyddiau'r *X Factor* a *Strictly*
a *Dancing On Ice* ac ati ac ati,
cynhaliwyd sioe dalent tu hwnt i'r dychymyg
a'r wobr mor wych fel na welwyd ei thebyg,
sef oedd yr ymgiprys rhwng miloedd o seintia
i gael eu penodi yn nawddsant ar Walia.
Yr enw swyddogol oedd Sant, ond fod ganddo
ebychnod, fel *Splash!*, yn dod syth ar ei ôl o.

Cynhaliwyd y ffeinal ar dir sanctaidd Enlli.
Mi gymrodd hi wsnos go dda i bawb groesi,
a mis arall wedyn i bob perfformiad
cyn i'r beirniad, Aelhaearn, neud penderfyniad.

Mae'n debyg mai Padrig oedd ffefryn y bwcis,
ond mi dynnodd o 'nôl munud ola'n anffodus.
Doedd neb yn siŵr pam, ond mi oedd 'na sibrydion
ei fod o â'i lygad ar job yn Iwerddon.

Chafodd San Siôr ddim hawl i gystadlu;
'dan ni'n reit ffond o ddreigiau yma yng Nghymru.

Jyglo morloi oedd act Mihangel Glyn Myfyr;
roedd 'na gryn edrych 'mlaen at berfformiad go ddifyr.
Ond mi fu y pwr dab yn anlwcus tu hwnt –
mi ddihangodd ei brops o wrth groesi y Swnt.

Roedd gan Bidinodyn dricia cardia aruthrol,
ond mi gath ei ddiarddel achos bod o'n ddychmygol.

Roedd Andras yn un arall oedd yn sgut am neud tricia,
yn tynnu ceinioga o'i geg ac o'i glustia.
Mae gwylio consurwyr yn gofyn am fynadd
ac mi gafodd y beirniad lond bol yn y diwadd.
Dwi ddim am fanylu be 'nath o mor flin,
ond dyna 'di tarddiad yr enw Pres-teigne.

O Fôn daeth tri dawnsiwr, sef Daniel Fab (*disco*),
Cefni (*breakdancing*) a Tysilio (*gogo*).

Mi welwyd rhyw binsied o gogyddion go handi
efo Cernyw yn dangos y grefft o neud pasti.
Troi pentwr o ŷd yn flawd 'nath Cynfelin
a gneud sŵp ddaru Brothen a Pedr y Cennin.

Pedr Goch – rhaffu rhesi o jôcs *risqué*;
Baglan – dim ond disgyn ar hyd y lle;
Collen – esgus bod yn goedan.
(Oedd y boi yn nyts, fel trodd hi allan.)
Roedd 'na griw o Arfon yn perfformio 'fo cerrig;
taflu a jyglo oedd *party piece* Peblig,
Twrog yn pentyrru nhw yn eu trefn
a Llyfni'n eu chwalu nhw lawr drachefn.

Teilo – gosod teils; Llechid – gosod to;
Isien – gneud 'run peth dro ar ôl tro;
Elwedd – dynwared anifeiliaid ac adar;
Stumdwy – plygu llwya yn null Uri Geller.

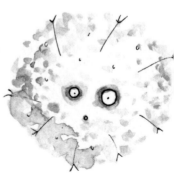

Mihangel ar Arth – *ventriloquist* efo tedi bêr;
Uwchllyn – cerdd dant. *No surprises there.*
Bryn Mair – dyn wedi gwisgo fel dynas,
a Dewi oedd yn gneud rhyw dric *shit* efo hancas.

Five hundred to one oedd yr *odds* ar Dewi
yn ôl y Santes Bet Fair, y bwci.
Ond mewn cystadleuaeth oedd yn ddigon pig,
Dewi Sant a'i dric hancas *shit* ddaeth i'r brig,
a'r gynulleidfa fawr yn mynegi rhyfeddod
mai fo oedd pencampwr Sant Ebychnod.

Gallaf heno ddatgelu cyfrinach llwyddiant
a dyfnder dichell ein hannwyl nawddsant.
Dyma fersiwn gyflawn yr hen ddywediad:
'Gwnewch y pethau bychain, a breibiwch y beirniad'.

Arwel Pod Roberts

CYLCHOEDD

(er serchog gof am fwriad Llywodraeth Cymru i godi cylch mawr haearn yn Y Fflint i 'goffáu' cestyll Edward y Cyntaf)

Oes, mae gen i gyfaddefiad –
gyda chylchoedd, dwi mewn cariad.
Cylchoedd, cylchoedd o bob math,
o lygaid llo i dwll tin cath.

Cylchoedd mawr fel olwyn drol,
cylchoedd bach fel botwm bol.
Gwalltiau twt y merched hŷn,
neu siâp *nipple* ambell ddyn.

Wyneb cloc neu afal coch,
bwced ffid neu ffroenau moch.
Rhyw bimpl bach neu fotwm crys,
olwyn beic neu batshyn chwys.

Af rownd pob cylchfan lawer gwaith
a bwyta Polos fesul saith.
Llyfu rhimyn gwydryn gwin.
Tatŵ 'O' sydd ar fy nhin.

Er mor gryf yw fy nheimladau
at y cylch a'i ryfeddodau,
tra bydd yn fy sgyfaint i wynt
'da'i ddim i weld 'run cylch yn Fflint.

Anni Llŷn

CAMSEFYLL

(adeg ymgyrch Cymru yn Ewro 2016)

Mewn i'r Fron fe ruthrodd Arthur eisiau menthyg gliw a chlwt,
padell ffrio a phot pupur ac fe aeth â nhw i'r cwt.
Yn reit sydyn ar ôl hynny sylweddolodd Anti Gwen
fod 'na daclau yn diflannu mewn i'r cwt bob now an' dden.

Wedi mynd oedd stoliau'r gegin efo'r Kenwood Chef a'r *wok*.
Doedd 'na'm plu tu mewn i'r cwshin, doedd 'na'm bysedd ar y cloc.
Yn y cwt heb gymryd seibiant wele Arthur wrth ei fainc
wrthi'n adeiladu peiriant fyddai'n mynd â fo i Ffrainc.

Efo'i frechdan wy mewn cadach fe gychwynnodd yn ddi-hid,
daeth i lawr y cae fel alarch sydd yn methu codi sbid.
Fe fu bron i Gwen gael trawiad. Roedd o'n dŵad am y tŷ!
Ond 'rôl rhwygo trwy'r lein ddillad fe ymgododd megis pry.

Ac wrth weld ei phegs a'i blwmar yn anelu am Toulouse
yn druenus o ddihyder cododd law o ben y drws.
Roedd hi'n ornest glòs ddychrynllyd draw yn Lens ar draws y môr,
ar ôl awr a phymtheg munud roedd hi'n dal yn gêm ddi-sgôr.

Daeth y bêl i feddiant Rooney i fyny'r cae ar ben ei hun,
er fod pawb yn sgrechian gweiddi doedd y reff ddim ar ddihun.*
Roedd y diawl yn siŵr o sgorio, roedd ein breuddwyd bron ar ben.
Be ddisgynnodd ar ei ben o ond hen gegin Anti Gwen.

Yr oedd pawb yn amau ISIS am y weithred sanctaidd hon
tan i hufen heddlu Paris reprimandio Arthur Fron.
Ar ôl crafu Wayne i'r stretsiar a thacluso'r cae rom bach,
Arthur Fron aeth am y carchar ac enillodd Cymru fach.

Yn y carchar mae pot pupur 'di diflannu'r wythnos hon,
rydw i'n amau'n gryf fod Arthur ar ei ffordd yn ôl i'r Fron.

*Gweler *Laws of the Game*, rheol 11 – 'The offside rule'

Jôs Giatgoch

PA ŴR YW'R PORTHOR?

O'm blaen mae boi o blaned – wahanol,
bownser hen a chaled,
a minnau heb lemwnêd
yn y gwter yn gweitied.

Pa ŵr yw hwn? Wel, o ran pryd – a gwedd
ni bu gwaeth o'r cynfyd
mewn dôr nad yw'n agoryd,
Glewlwyd Gafaelfawr mawr, mud.

Why the wait? ar ôl meitin – ymholais
yn fardd mawl ar bafin.
Oy, if you all hate waitin'
why ask? No one's goin' in.

Clywn y tu ôl i'r clown tew – lenwi'r aer,
teimlwn wres o'r dudew
a golau'n siŵr, gwelwn siew
a thir lledrith o'r llwydrew.

I'm a poet ... I bet! ebe hwn, – *Prove it.*
    Ac fel prifardd, canwn:
    Bouncer, pray, answer this prune,
    you're a tiger, ategwn,

a leader of drunk ladies – a giant
        whose jaw moves on hinges,
    concierge of the ledges,
    a bear in care of the keys.

My mate, permit a poor man – to enter
        your tent, sef ei hafan,
    turn the door before your fan
    freezes like some fresh Friesian!

Chwarddodd, wiblodd a woblo – am eiliad,
        a'r bardd mawl oedd wrtho'n
    weitied, cyn gofyn eto,
    Can I? Well mate, can I? No.

Eurig Salisbury

Ni

Mae'n sibolethau ni'n iawn yn eu lle, wrth gwrs:
nodio ar feirdd, dwstio *Hanes Cymru*, gwisgo'n drwsiadus
i fynd i roi trefn ar glipiau papur ein gwareiddiad brau;
aberthu cysuron er mwyn y diwylliant
(wel, cysgu mewn carafán);

2019 1819

codi llais Cymraeg y peiriant hunanwasanaeth
wrth brynu'r swper chwarel Tesco Finest; picio i Gaer
i guddio'n gwelwder gwladaidd â ffêc-tan Lloegr;
dawnsio i Bryn Fôn mewn ffordd eironig;

parcio'r Audi (a'i rif personol sy ddim cweit yn gweithio)
yn huawdl yn ymyl picyps y diwylliant disl coch
wrth bicio i'r festri i ganmol y plant,
crwydro Eryri cyn *cappuccinos*
heb deimlo'r glaw drwy'n cotiau oel byddigions.

Ar ôl i'n teidiau grafu byw ar wyneb craig
a lladd lloi tenau mewn tyddynnod llwm
pwy all warafun inni odro cyflog hufennog
o bwrs y wlad a'n ciciodd? *Champion.*
Dangoswn i'r werin mai yn Gymraeg mae llwyddo.

Ond yn yr eiliadau slei o ddiogelwch
pan fo bybls y *prosecco*'n cosi,
wrth bwyso'r PIN heb ofid am botel arall,
fiw inni feiddio teimlo'n saff.

Guto Dafydd

YR YSGOL FEITHRIN

Mae Mami yn gweud 'mod i'n barod ers tro
ac am unwaith, y mae hi yn iawn.
O'r diwedd caf strwythur, canllawiau a threfn
i herio fy hunan bob pnawn.

Mae hybu llythrennedd yn amcan fan hyn
trwy gyfrwng storïau a chân.
Wel, dyna ddarllenais ar wefan y Sir
mewn cymal o fewn y print mân.

Cyflwynir rhifyddeg yn hwyliog bob dydd
a'r nod yw bod pawb yn mwynhau.
Rwy'n gwybod fy nhablau hyd at saith deg saith,
'mond babis sy'n dweud tabl dau.

Mae dysgu 'y sgiliau gwaelodol' yn nod,
fydd hynny'n ddim problem i mi.
Rwy'n hollol hyderus wrth sychu 'mhen-ôl
fy hunan – rhifau un, dau a thri.

Rwy'n edrych ymlaen i gael chwarae â chlai,
yn ôl Mam, sy'n ormod o fès.
Rwyf am wneud penddelwau o Gerallt a Dic
a Chynan ac yna R.S.

Ac ar bnawn dydd Gwener, bydd pawb yn mynd mas
i ehangu'n gwybodaeth o'r byd.
Fe fyddaf yn nabod pob titw a dryw
gan enwi'r planhigion i gyd.

A chyn amser gadael, datganaf i bawb
fy sonata i'r tamborîn.
Mae'n swnllyd ar brydiau (mae sawl *triple f*)
ac mae'n gwneud Mam yn hynod o flin.

Fe gefais y wisg, fe dynnwyd sawl llun,
hwrê, dyma 'ngadael i'n rhydd!
Ond trof tua'r drws. Mae Mam wedi mynd
a sgrechiaf am weddill y dydd.

Gwennan Evans

PANED O GOFFI, PLIS?

Caf Frappe neu Flat yn y caffi,
Espresso neu Latte neu Skinny,
   ni welais 'fath dwyll,
   ac fe gollaf fy mhwyll
os na chaf i baned o GOFFI!

Mari George

YR WYLAN

Rwy'n nyrfys yng Nghaernarfon:
seiclo am dro drwy'r dre hon
sy yn *mission* amhosib
a'r *birds* yn diodda o'r bib –
y *gannets*, nid y genod,
hynny yw – er bod nhw'n od
(pob *layer* o *blusher* yn bla)
rhyw rai heb ddeiarïa
yw fodins dre. Rwyf dan strach
y feingoes a'i hedfangach.

Wylan deg, wyt lond dy din,
enbydus lawn o bwdin
y twrists, a ti'n twrio
am gyfrwng i'w ollwng o.
Hebog môr, a hen big main
melyn, a llygaid milain,
sy mor cîn ar fy nghinio,
mor hy â 'ngyrru o 'ngho'.
Wyt unben, 'nelwr tinboeth,

mynd ar wib, efo'th bib boeth:
o d'anws, rhaid bod anel
reit sbot on, a digon del
i roi, wrth 'ti droi, yn strêt,
ergyd i *moving target*,
a'th dwll megis gwyrth o dynn
i ddal, ac yna i ddilyn
y beic, cyn 'ti ddadbacio'n
ddi-stŵr dros ei reidiwr o
efo SPLAT! ... 'Wel, y twat hyll',
andros, mi o'n i'n gandryll!

Di-lwch yw ei harddwch hi,
ond, *man*, paid stwnan dani:
pob stremp yn rhemp hyd fy nghrys,
yn rhesi lawr fy nhrowsus.
Bybyls lliw pw-pw babi'n
llifo'n hallt hyd fy ngwallt i –
rhy ffishi ei charffosiaeth,
yn lliwiau fyrdd, gwyrdd, a gwaeth,
yn gawlach o frown golau:
hyll iawn wir i Mam ei llnau.

Piss-gach llawn ogla pysgod –
wir, ar y beic, nid er bod
yn ddiogel mae helmet
i fi yn gymaint o fêt,
ond cysgod rhag pysgod-pw
o nicar y wen acw.

Ond wedyn, na, nid ydw
i'n meindio fy powndio â'u pw;
er eu mès, er rhoi i mi
ddos rhy agos; er rhegi
eu clochdar, ni fedar fod
gelyniaeth â'r gwylanod
sy'n ymhél uwch yr heli:
swn 'rhain yw swn 'y nhre i.

Llŷr Gwyn Lewis

CÂN Y LLAMHIDYDD

Pan oedd y castell yn felyn, o dan haul hwyr y prynhawn,
a'r gwylanod wedi tewi, a'r traeth islaw yn llawn,
roedd Aber ar ei orau, a rhai wrth godi gwydryn
yn cynhyrfu wrth weld asgell yn syrffio'r dŵr yn sydyn,

'DOLPHINS! DOLPHINS! COME AND SEE THEM, DEAR!'
'DOLPHINS! DOLPHINS! AND BRING THE CAMERA HERE!'

A dyma ddau lamhidydd, lle bu'u gwanwynau nhw 'rioed
fel cariadon ger y tir, yma yn cadw oed,
a nhwythau'n disgwyl clywed wrth ddynesu at y traeth
gywyddau iaith y Cymry, ond 'chlywson nhw 'rioed sŵn
                                              oedd waeth . . .

'DOLPHINS! DOLPHINS! THEY'RE ALL SO VERY QUEER!'
'DOLPHINS! DOLPHINS! AND BRING THE CAMERA HERE!'

Dau lamhidydd cegrwth a stopiodd yn y dŵr
gan edrych ar ei gilydd yn methu dallt y stŵr,
ac yna mewn panig llethol, trodd y ddau eu cefnau
a nofio tua'r gorwel yn gweiddi nerth eu pennau,

'SAESON! SAESON! MAEN NHW 'MHOBMAN DROS Y BYD!'
'SAESON! SAESON! OES RAID IDDYN NHW WEIDDI O HYD?'

Ac os cerddith ambell Gymro drwy'r castell melyn eto,
efallai, ymysg y meini mawr, y clywant yn atseinio
y waedd ofidus, oeraidd, sy'n aros fel hen rybudd,
a ganwyd gyntaf oll o enau'r ddau lamhidydd.

'SAESON! SAESON! OES RAID IDDYN NHW WEIDDI O HYD?'
'SAESON! SAESON! MAEN NHW 'MHOBMAN DROS Y BYD!'

Osian Rhys Jones

GWERTHU

Roedd gen i dŷ cysurus ac estyniad newydd sbon
a gyr o wartheg Charolais yn pori ar y fron;
roedd gen i drol a cheffyl a merlyn bychan, twt,
a mil o ddefaid tewion, a moch, lond pymtheg cwt.

Roedd gen i gwpwrdd cornel yn llawn o lestri te
a dresel yn y gegin. Roedd popeth yn ei le
tan i fi werthu'r cwbwl – y tŷ, y stoc a'r moch –
er mwyn i fi gael prynu hyt lan môr yn Abersoch.

Arwel Pod Roberts

CWTSH

Peidiwch â chyffwrdd, peidiwch â thwtsh,
fe wna i rwbeth er mwyn osgoi cwtsh.

Chi'n gwbod shwd mae'n mynd, chi'n gweld ffrind ar y stryd,
chi'n llyncu poer a'n syden,
chi'n sopen mewn côt o chwys oer i gyd,
achos chi jyst moyn troi, moyn osgoi,
 moyn ffoi ffor' arall heibio,
– a licen i weud fan hyn: *it's not them, it's me* –
ond ... does ... dim ... dianc ...
dim llithro drwy grac yn y *space-time continuum* i fi.
Felly 'co-fi'n dangos gwên lac ac amnaid *anaemic*,
mwmblo rwbeth rwbish sy'n cwmpo'n sbwriel crap ar lawr,
a wy jyst moyn slipo mas ar hyd ryw bac-ali embarasing
achos wy'n gwbod bo' nhw'n disgwyl cyfarchiad mewn 'cwtsh',
ac ar hynny ma 'nhu fewns i jyst yn troi'n ... slwtsh.

Peidiwch â chyffwrdd, peidiwch â thwtsh,
fe ddawnsien i'n noeth er mwyn osgoi cwtsh.

Ac yna yr 'hen-ffrind-yn-hanner-cant' senario
a daw gwahoddiad 'joli' draw i'w barti-o
lle bydd pawb yn gwisgo'u hwynebe gore –
ar ôl treigl hyll yr holl flynydde,
ac ymarfer eu lleisiau parti harti *peak confidence*.
Ma'r disgwyliade'n uchel, y *bonhomie*'n bwman,
a finne ishe cwato neu suddo lawr i 'nghwman
achos ma'r criw 'ma'n dod o rywle o 'ngorffennol,
pob un â'i stori fawr bersonol am gampau proffesiynol.
Pawb ishe cydio yndda i a 'ngwasgu'n gorfforol
tra bydd fy enaid i'n gorwedd yn grimp, yn limp ar lawr,
yn gasiwalti emosiynol. Ac ar ôl y *siorée* soffists wy'n *misfit*,
yn teimlo'n llai nag o'n i cynt ... o dwtsh,
achos ma *nhw* yn well na *fi* ymhob ffordd,
ac yn *gwbod* shwd i roi cwtsh.

Peidiwch â chyffwrdd, peidiwch â thwtsh,
fe werthen i'n fam er mwyn osgoi cwtsh.

A wedyn mewn aduniad teulu –
bedydd, priodas, angladd, neu rywbeth fel'ny,
y man lle daw'r llwythau hunllefus ynghyd,

ma 'nghorff i'n mynd yn stiff a wy'n torri mas yn rash
achos ma cwtsho ar y meniw *big time* fan hyn,
boed chi'n ddyn, yn fenyw neu'n fodryb â mwstásh –
fydd dim dianc rhag y wasgfa –
achos ma gwaed, mae'n debyg, yn dewach na dŵr
ond bydde'n well 'da fi foddi
na mygu ar greigiau cynnes y fynwes berthyn hon, wy'n siŵr.
Y cefnder boring
sy'n rhaffu hen straeon rhacs am 'gofio' cofio 'nôl i fod yn blantos,
ei wraig oren *offensive*
sy'n brolio'u gwylie ffansi yn rhywle naff
bob haf am bythefnos.
Yr hen rai
sy'n crebachu dan bwn eiliadau'r blynyddoedd effro,
eu llygaid yn llynnoedd llaith o anghofio a wyndro ...
a oes ishe rhoi'r bins mas heddi eto?
Y to iau, bôrd, a ddragiwyd yno,
sy'n nabod neb, a ddim ishe chwaith,
achos ma pethe gwell 'da nhw i neud: bywyd, Twitter, gwaith.
Ac yn fy mhen, wy'n sefyll ar blaned yn ddigon pell bant o'r banter
a chodi'n llaw yn *vague* ar bawb a'u plant achos wy'n dechre danto ...

licen i ddianc o'u lapan a'u siarad rwtsh
a phob un yn mynnu cusan a chwtsh.

Peidiwch â chyffwrdd, peidiwch â thwtsh,
fe bleidleisien i dros Trump er mwyn osgoi cwtsh.

Yn teulu ni, chwel', ma fe'n rhwbeth dwfn yn ein DNA,
y Rheol Dim Cyffwrdd, yr angen am 'personal' lle,
ni jyst ffaelu neud-e.
Falle achos bo' ni'n Gymry,
yn yfed gormod o de, yn représd, yn stynted emoshonali.
Odyn, ni'n chwerthin, chwarae,
cwmpo mas a dadle,
ni'n rhannu jôcs, tynnu coes a blew o drwyne weithie –
jyst fel pobol normal, chi'mbo –
ni hyd yn oed yn pwdu, caru a chrio
ond smo ni byth, byth, BYTH ... yn cwtsho.

Elinor Wyn Reynolds

DiRGELWCH YR WYAU

Maen nhw'n credu nawn ni'm sylwi,
rydw i'n honco medda rhai;
ond dwi'n gwybod fel efengyl
fod *creme eggs* 'di mynd yn llai.

Peidiwch poeni am bris petrol
na phris olew yn Dubai,
megis pi-pi dryw 'di Brexit
a *chreme eggs* yn mynd yn llai!

Synhwyraf gyllell y llywodraeth.
Ai'r Canghellor sydd ar fai
am sleifio brawddeg i'r gyllideb
am *greme eggs* yn mynd yn llai?

Dwi 'di trio ffonio'r heddlu,
MI6 a'r FBI,
ond mae'r taclau'n ceisio gwadu
bod *creme eggs* 'di mynd yn llai.

Ond cefais dip-off cyfrinachol
(gan ryw *smack-head* o Drelái)
oedd yn honni'i fod o'n gwybod
pwy sy'n gwneud *creme eggs* yn llai:

Beti George a Margaret Williams
ac un o Hogia Llandygai,
nhw 'di'r cnafon diegwyddor
sydd yn gwneud *creme eggs* yn llai!

Maen nhw'n berchen llongau tanfor
sy'n cludo'r wyau i Mumbai
at ryw dîm o arbenigwyr,
nhw sy'n gwneud *creme eggs* yn llai.

Felly, deffrwch, bobol Cymru,
mae hi'n amser herio'r trai!
Awn i frwydro'r grymoedd aflan
sydd yn gwneud *creme eggs* yn llai!

Gruffudd Owen

AGOR POTEL O WIN

'Mae o'n win bach chwarëus o Roma,
un cynnil, ond cry ei aroma,
byrlymus ond swil ...'
'Hei, wêtar,' medd Wil,
'jest agor y diawl a dos o 'ma!'

Twm Morys

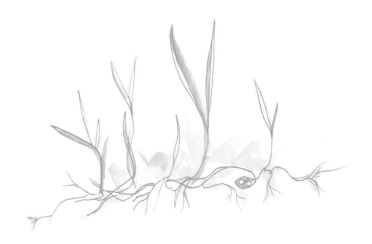

DYN OD iAWN

I'r Gog, dyn od sy'n dweud 'Odw', ac od
ydyw'r Gog i'r Hwntw;
dyn od iawn ydyw hwnnw
nad yw'n od i ni na nhw.

Ceri Wyn Jones

FY NGWLEDD

Fillet, fillet o ffowlyn,
elît gig y *fillet* gwyn.
Ein calon gan gywion gŵr,
ein hawen gan decawëwr,
a gwerin o gig-garwyr
llorweddog ŷm lle'r oedd gwŷr.

Fe rown wên i'r gyweniaeth;
nid *chicken* nad *chicken and chips*.
Byddwn foliog ddiogel
â'n dedwydd iâr, doed a ddêl,
heb salad, iachâd, na cho',
heb ofal, na bihafio.

Fe'n twyllir yn ein bir hoff bau
â hylanwaith hen luniau.
Y ni, bawb, ar drywydd bwyd
yw'r dynion a ordeiniwyd
yn llafar jicin-garwyr,
eithafol geiliogol wŷr.

Fy ngwlad, fy ngwlad gaiff fy ngwledd
yn rhad, fel fy anrhydedd,
am y gwn y gallwn golli
y chwd hwn o'th awchu di.

Iestyn Tyne

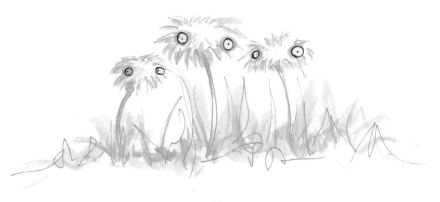

i'R HWCH

O anwylaf Ddelila!
Ti yw'r smel ar awel ha'!
Dy drwyn smwt a'th gwt ar gam
a gyrlia'n galon-garlam!
Llun olew sioe Llanelwedd
yw dy gorff gwridog ei wedd!
Byddai dal dy hafal di'n
challenge i Botticelli!
Ni all adar fyth arwain
'Soch soch' melysach ei sain,

nes yn wir atseinio wna
y gyllell trwy dy gylla.
Mwynach rhwng bara menyn
a fyddi di wedi hyn,
a daw i glyw dy gnawd glân
yn ffrip, ffrip ar y ffreipan.
Anwylach na Delila
nid oes ... (gyda sos coch da).

Emyr Davies

HENEIDDIO

Mae fy mab yn llym fy mod
yn hen, boring yn barod;
yr wyf yn femrwn-bryfyn
canoloesol, a di-lun
eto fyth â'r Smart TV.
(Rhy od i'w danio'r ydw-i,
idiot rimôt, cloff fy modd –
sigais pan luosogodd
yr un go hawdd i'w drin gynt:
trannoeth roedd tri ohonynt!)
Wyf ap di-Ap (ond hapus),
testun chwerthin crin mewn crys
sgwariau a chroesau gwirion;
satnav afleraf y lôn.

O ddyn sydd yn ddeinosôr
i'r oes mor 'Waw!' ei thrysor,
yr wyf yn dal i brofi
hen win hoff fy ngwinllan i.

Myrddin ap Dafydd

Y TELEDU TECHNICS YN TESCO

('Black Friday' cyn y Nadolig, 28 Tachwedd 2014)

Mae'r teledu Technics yn Tesco'n fy ngwneud i'n honco bonco.
Dwisio mynd ar ei gefn o fel Geronimo
a marchogaeth ar hyd yr eils yn chwifio

fy remôt contrôl newydd uwchben fy sgrin blasma
yn llawn carisma, yn gweiddi sbia yma,
rhytha ar fy *HDMI ports*, fy *15-pin ports*. Taga ar dy asthma

wrth dynnu dy law ar hyd fy sgrin ddifrycheulyd,
cyn cyfri fy *USB slots* a syllu ar fy nhyllau *cable cards* hyfryd;
rhyfedda at y golau *standby* sydd fel gwylio haul yn machlud.

Ydi, mae'r teledu Technics yn Tesco'n fy ngwneud i'n
honco bonco.
Dwisio dringo ar ei ben o a bît-bocsio
wrth wneud *pirouettes* a dawnsio'r tango,

a gosod fy *freeview* i awto-recordio. Dwisio talu bac-handar
i'w roi yn fy nhroli ac yna'n fy nhrelar;
sbia ar fy modfeddi, y myddar ffycar,

ar fy mhedwar deg dau inshar o *Hi-Defo*;
stwffia dy fys mewn i fy *VGA input* a'i wiglo.
Mae'r teledu Technics yn Tesco'n fy ngwneud i'n honco bonco.

Chdi a dy Fujitsu pymtheg oed o Comet
heb ddim ond teletestun, a'i focs mawr sgwâr, solet
yn llenwi hanner stafell fel cabinet.

O, fy Nhecnics, fy ffenics o lwch y catalog,
fy *super-duper mega-deal, one-day-only, hurry-up-before-it's-too-late
drop-down-prices-day*
ddarn o blastic sgleiniog,
fy fflatrwydd godidog.

Black Friday – pa ddüwch, y cyntiaid? Amser i fanŵfro
fy hun yn osgeiddig i lawr i faes parcio Tecso
i bwrcasu'r Technics ac yna'i reidio,

ei hwylfyrddio ar donnau fy *subwoofers*
heibio i'r pencis a'r panic pyntyrs
yn fy het Santa, hwnt i'r rhes o *winter wonders,*

ond doedd yna ddim un ar ôl,
ac mi brynais *George Foreman lean mean grilling machine*
a thegell yn ei le.

Rhys Iorwerth

Y DRAFFERTH MEWN SECSIOP ...

(I Menna Elfyn, i gofio'r diwrnod hwnnw yn Aberystwyth ym Mehefin 2011, pan gadarnhawyd ein hamheuon mai sefydliadau er pleseru dynion yn unig ydi siopau rhyw. Caewyd siop Nice 'n' Naughty, Heol y Wig, yn 2013, gan ddenu sylw mawr yn y wasg am i'r perchnogion honni fod prinder 'cwsmeriaid addas' yn nhref y coleg ger y lli.)

Bardd yw hi, ac Aber ar ddihun,
a'r ha' yn galw am rywun;
rhwng y môr a diwedd y stori
tybed a ddaw'r un, ei hogyn hi,
yn ei harddwch i gerdded
wedd y prom sydd piau'r haul
gyda'i gusan a'i anwes
a'i dwyn hi at gariad yn nes?

Yn Aber pob anobaith
mae tafarn – ac mae te i'w yfed –
ac i'r Caban fy hunan yr af i:
i dyrfa iaith y ffenestr fawr
i syllu, a chymylu'n chwith
â chur hil bardd, yr un chwarel boeth.
Waeth yn llawnder seddau deuau'r dydd,
un ei hun yw bardd beunydd.

Ond daw Menna, gan ddweud mai myned
i newyddsiop, secsiop, y sir,
y dylai bardd (da le boed),
i chwilio am lam ei chalon
am mai yno mae 'beth mae menyw moyn'.
A'r bardd, yn ei hyder bas
yn wyrddach a diurddas,
ar Heol y Wig yn bwrw'i lwc ...

Ac i mewn yr â mor ddeheuig â Menna:
i ganol di-deimladau chwantau chwil
y crôm sydd ond yn caru rhyw,
sbotleits, teits i'w twtsiad,
a chrôm sy'n chwerw oer;
fel 'tae sgleinio dildo i dwll
a chwyrlïo tafod rhwng dau godiad
yn ddigalon o ddigon i ddyn.

Ceisio hwyl sy'n ddim ond secs yw hyn:
ysu sy'n ffugio cysur,
y gal sy'n gaeth i gedor a gwely,
a'r nwyf fel rhu anifail;
yn ogleuo henaint ar gluniau,
neu'n chwipiau lledar y feistres arall,
yn rhy frwnt ar dethi'r fron
yn nüwch cyffur tynnach y cyffion.

Ond nid yw'r secsiop, y newyddsiop, i ni
yn hŷn na'r angen ynom,
hŷn na'r tegan a'r anwes;
ac eto, dim ond i ddyn a'i bidyn mae'n bod!

Yno'n hyder yn ei hadau
yn sŵn y cul wydrau sy'n ciledrych
ar fardd, fel gwrthrych, rhyw ferch ...
dyma nod, rhoi cariad mewn iaith
yn Aber fy anobaith.

Karen Owen

CROESO i WANGLAND

Croeso i Wangland, gyfaill, tyrd i weld
y twrcwns drwgenwog oddi ar y niws,
ia'r rheini oedd isio hi'n Ddolig bob dydd,
efo'u gobl-gobl croch, di-iws.

Tyrd i weld Wangland, gyfaill, tyrd ar frys,
tyrd i ryfeddu atom tu ôl i'n ffens, i'n cwrdd,
y ni sy'n llythrennol hapus i biso'n
holl adnoddau naturiol i ffwrdd.

Croeso i Wangland, maestrefi llawn *semis*
allai fod yn Rochdale, neu'n unrhyw le
lle mae rhieni'n mynd â'u plant i weld perthnasau hanner-marw
a goddef swsys gwlyb.

A chroeso i'r Bae uniaith a'i gaffis tsiaen
a'i deimlad bo' chdi 'di bod mewn lle fel hyn ganwaith o'r blaen
allai fod yn Fryste, Awstralia, rwla
oni bai am y tywydd, a'r Tesco draw fanna,

a rhowch eich bagiau ar silff y bagiau
a diolch am siopa yn ein tsiaen
a phwyswch 'Lawn' ar ôl i chi orffen:
'dych chi'n dymuno bwrw ymlaen?

Croeso i Wangland,
lle thâl hi ddim i edrych 'nôl o hyd,
gormod o'r brut a dim digon o'r brud …
a ninnau ar ein ffôns drwy'r dydd
yn aros i rywbeth ofnadwy ddigwydd
i ennyn ein sylw am bnawn.
Byw chwyldro gwledydd eraill drwy sgrin
tra fedar ein gwlad ein hun ddim hyd yn oed sychu'i thin.

A'n harwyr yn cwympo o'n cwmpas ni, syrthio fel adar o'r awyr,
ninnau'n trydar ac aildrydar eu geiriau nes colli pob ystyr,
y byw'n ailgyfogi'r meirw i gostreli gwydyr,
ar ôl eu dogfennu ar y sianel genedlaethol.

Croeso i Wangland, gyfaill,
lle mae'n rhaid i chdi fynd allan ohoni
i gyrraedd ei phen arall
(dyna faint 'dan ni allan ohoni),
lle gei di ista ar drên budur am wyth awr
a chael dy gario'n cropian drwy Brydain Fawr
cyn cael dod 'nôl adra i dy wely
dy hun, a gei di'r pleser o dalu
toll am neud. Neu gei di sychu
y glaw Prydeinig o dy winsgrin
efo weipars sy'n gwichian yn fwy croch nag wyt ti'n mentro gwneud
am fod gen ti ormod o betha i'w gwneud.

Croeso i Wangland
lle ma'r esgid fach yn gwasgu,
felly 'dan ni'n saethu'n hunain ynddi,
lle mae'r menyg gwynion wedyn
yn nadu neb rhag gweld y *prints*
a'r ogla camffor yn gwneud iddyn nhw gyfogi,
eu nadu nhw rhag dallt yn iawn mai crogi'n
hunain wnaethon ni 'ar ddiwedd y dydd' ...

Lle mae'n haws hel rownd y piano
nag ista lawr am funud a meddwl amdano,
i ganu emyna meddw 'dan ni 'di hen stopio
coelio ynddyn nhw, am eu bod nhw'n brifo;
lle ma'i'n haws siarad Saesneg rhag bod yn rŵd,
rhag gneud petha'n ocwyrd i unrhyw hen gwd ...

Croeso i Wangland
lle mae'r apocalyps yn edrych yn llawer mwy diflas na'r disgwl
ac yn teimlo bron fel *business as usual*
ond o leiaf mi gawn wylio'r cyfan trwy waliau tryloyw'n Senedd,
cawn wylio tranc ein cenedl mewn clirlun.

Felly lawr â ni i'r môr
a'n gwlad ni efo ni:
ar ôl yr holl sôn am y llif yn dod
wnest ti ddim dychmygu hyn, wnest ti?
Mai dewis boddi'n hunain,
nid cael ein boddi, bysan ni.

Heibio i'r cytia gwylia a phob goleudy
ac wrth i'r tonna lyfu dy draed, ella gei di,
os ti'n lwcus, chwifio'n ôl ar y syrffiwrs a gweiddi

CROESO I WANGLAND
lle mae bod yn Gymro'n hunlle
nad wyt ti'n dymuno deffro ohoni
rhag iddi beidio â bod,
gan mai dim ond mewn breuddwyd rwyt ti wir yn byw
a'r wawr yn dod
a'r ddinas yn codi o'i gwely
a neb ar ôl i'n breuddwydion wedyn
ond ambell adyn,
fel Owain, neu Arthur,
sy'n dal i gael *lie-in*.

Ond tasan nhw'n deffro, 'sa 'na uffar o le,
achos san nhw isio gwbod yn union be
ddiawl ydan ni'n meddwl 'dan ni 'di neud efo'r lle ...

Ia, croeso i Wangland, gyfaill,
croeso mawr iawn i chdi.
Croeso i chdi iddi yn gyfan i gyd
achos dwi'm yn siŵr ydw i ei hisio hi.

Llŷr Gwyn Lewis

THTORI CRWYTH

Roedd gan Thethil bythgodyn, un hen iawn – wyth deg wyth.
Thi bath oedd y pythgodyn a'i enw oedd Crwyth.

Roedd yn glamp o bythgodyn a bwythai wyth pwyth
ac roedd yn byw ym màth Thethil yng Nghaerdydd, Heol Crwyth.

Ei hoff amther oedd amther bwyta – roedd e'n hoff o fwyta llwyth.
Doedd dim llawer o fwydydd na fwytai Crwyth.

Roedd e'n hoff iawn o thothejith a thorth, a thawl ffrwyth:
roedd y pythgodyn yn pethgi a thewhau fel Twrch Trwyth.

Neth jetht ar ôl thwper un noth, byrthtiodd Crwyth
a gwathgarwyd ei ymythgaroedd ar hyd Heol Crwyth.

Do, criodd 'rhen Thethil mewn trithtwch dwyth
am wyth dydd ac wyth noth wrth hiraethu am Crwyth.

Ond yna, yn thydyn, ar ganol cnoi ffrwyth,
daeth thyniad i Thethil beth i'w wneud â chorff Crwyth.

Aeth at dacthidermitht – un drud – cothtiodd lwyth,
a bu hwnnw'n ei thtwffio a phwytho'i din ag wyth pwyth.

A nawr yno'n eithtedd mae corff yr hen Crwyth
mewn bocth mawr gwydyr ar y thilff yn Heol Crwyth.

Y werth yn y thtori yw bod pwytho wyth pwyth
yn bwythau digonol i thi bath fatha Crwyth.

Iwan Rhys

NICO BACH

Mewn bwthyn bach gwyngalchog ar lethrau moel y Fron
y trigai Robin Llwyd y Berth a'i wraig gysetlyd, Non.
Rwdl-dwdl-dwdl-dam, ei gwallt hi'n oren fel y fflam.

Roedd Non a Robin yntau ar drothwy'r hanner cant
a'r ddau yn derbyn bellach na fysan nhw'n cael plant.
Rwdl-dwdl-dwdl-dam, ni fyddai'r bengoch fyth yn fam.

Ond drwy ryw wyrth, fe anwyd mab bychan rhyw ddydd Llun.
Pan oedd Nico Bach yn ddeufis, roedd o'n cerdded 'ben ei hun.
Rwdl-dwdl-dwdl-dam, am wastraff pres oedd prynu pram.

Chwarelwr ydoedd Robin 'run fath â'i dad a'i daid,
ond roedd Nico'n academig, ac yn holi yn ddi-baid.
Rwdl-dwdl-dwdl-dam, pwy, be, lle, pa bryd a pham?

Ni welodd Dyffryn Nantlle y fath athrylith 'rioed –
mi lwyddodd Nico i basio'r *eleven plus* yn bedair oed.
Rwdl-dwdl-dwdl-dam, a dysgu wnaeth o lam i lam.

Erbyn roedd o'n ddwy ar bymtheg, cafodd saith gradd 'First'
o'r bron –
dwy yr un o Durham, Rhydychen a'r Sorbonne.
Rwdl-dwdl-dwdl-dam, ac un o Poly Birmingham.

Ond yng Nghaergrawnt yn ddeunaw oed, darganfu Nico'r pop.
Roedd o wrth ei fodd yn pyntio a slotian yn ddi-stop.
Rwdl-dwdl-dwdl-dam, boddodd y cr'adur yn y Cam.

Arwel Pod Roberts

RHOI'R GORAU I FARDDONI ...

Wy'n gaeth i'r gerdd –
ei hing a'i hangerdd,
rhaid imi roi'r gorau i farddoni ...
Mae fy nannedd
yn ddu gan gynghanedd
ac yn dal i bydru,
alla i ddim peidio ag odli
ar ben hynny.
Wy'n ei cholli hi.
Wy'n gerdd-*head* i'r carn!
Bob dydd yn snortio
llinellau a'u llond o farddoniaeth,
yn gwthio'r geiriau
drwy'r nodwydd i 'ngwythiennau'n
drosiadau sy'n rhoi fy llygaid
i rowlio'n farblys ar lethrau o iâ.
(Heb angen am beiriannau fel ambell un!)

rowliaf â 'nwylo gymariaethau'n
gônau Bobmarlïaidd nefol eu smôc
sydd fel hapusrwydd dyn brôc
sy'n dal i allu taflu jôc.
Drwy'r bong â'r delweddau
ac mae'r swigod yn gweithio
fel morwyr yn erbyn y lli
yn fy nheml grisial i'm hudo i;
o grombil f'ysgyfaint chwythaf y mwg
yn inc ar y ddalen o aer.
Heb alwad cyson yr Awen a'i *hit*
dechreuaf grynu, drwy'r boen
daw'n anodd codi o'r gwely
heb sôn am godi gwên,
rhaid imi roi'r gorau i farddoni ...

Aneirin Karadog